Le mouton de Valérie

Karine Glorieux

Illustrations (couverture et intérieur) : Véronique Glorieux
Mise en pages : Folio infographie
Révision : Natacha Auclair
Correction d'épreuves : Anik Tia Tiong Fat

Imprimé au Canada

ISBN : 978-2-89642-332-3

Dépôt légal – Bibliothèque et Archives nationales du Québec, 2010

© 2010 Éditions Caractère

Tous droits réservés. Toute reproduction, traduction ou adaptation en tout ou en partie, par quelque procédé que ce soit, est strictement interdite sans l'autorisation préalable de l'Éditeur.

Gouvernement du Québec — Programme de crédit d'impôt pour l'édition de livres — Gestion SODEC

Nous reconnaissons l'aide financière du gouvernement du Canada par l'entremise du Fonds du livre du Canada pour nos activités d'édition.

Visitez le site des Éditions Caractère
editionscaractere.com

CHAPITRE 1

Le plus beau jour de l'été

Cette année, le plus beau jour de mes vacances a aussi été le plus triste.

Quand je me suis levée ce matin-là, je n'avais aucune idée de ce qui m'attendait.

— Valérie, j'ai une surprise pour toi ! s'est exclamé papa en me voyant arriver dans la salle à manger.

Je n'aime pas trop quand mes parents ont des surprises pour moi. En général, c'est ce qu'ils disent quand ils veulent m'annoncer quelque chose que je n'aimerai pas. Ils ont l'impression que je vais trouver ça plus intéressant parce qu'ils utilisent le mot *surprise*. Par exemple, chaque fois que mon père veut m'amener regarder le hockey chez son ami Luc, il fait un gros sourire et dit :

— Valérie, j'ai une surprise ! Devine où je t'amène ce soir ? Dans un endroit où il y aura plein d'amis !

Moi, je n'aime pas le hockey. Et j'aime encore moins les enfants de Luc : des bébés de cinq et six ans qui veulent toujours m'imiter, comme s'ils avaient huit ans eux aussi.

Souvent, mes parents m'annoncent aussi qu'ils ont une *surprise* quand ils font une sortie entre adultes et qu'ils demandent à Virginie, la voisine, de passer la soirée avec moi. Je n'aime pas trop me faire garder par la voisine. Elle m'empêche de regarder la télévision et m'oblige à aller me coucher à sept heures et demie. SEPT HEURES ET DEMIE, vous imaginez ?

— Un enfant doit dormir au moins douze heures par nuit, répète-t-elle chaque fois comme si elle était une grande spécialiste du sommeil.

Moi, je sais bien qu'elle préfère que je sois couchée pour pouvoir parler au téléphone avec son amoureux, un grand jeune homme aux cheveux longs avec qui elle veut avoir plein d'enfants dans quelques années. Mais pour ça, il faudrait qu'elle mange un peu plus ! Virginie est maigre comme une échalote ! Maman dit que c'est parce qu'elle est vé-gé-ta-ri-en-ne. Ça, ça veut dire qu'elle mange des aliments bizarres qui ressemblent à du gazon. Ouache ! Moi, j'aime mieux le poulet.

* * *

Ce matin-là, cependant, c'était un nouveau type de surprise qui m'attendait.

— Valérie, aujourd'hui, on va visiter une ferme !

Papa et maman me regardaient, attendant visiblement ma réaction, un grand

débordement de joie ou des larmes de bonheur. Ils ont dû être déçus, parce que je me suis contentée de soupirer :

— À la ferme ? Mais je suis censée jouer avec Frédérique, aujourd'hui !

Frédérique, c'est ma meilleure amie. Avec elle, je m'amuse tout le temps. Sans blague, je l'appelle même ma sœur tellement je me sens proche d'elle. Bon, nous ne nous ressemblons pas trop – elle est blonde et petite, alors que je suis grande et brune –, mais c'est comme si nous nous connaissions depuis toujours, même si elle est à mon école depuis seulement un an. Des fois, elle et moi, nous jouons pendant des heures sans nous parler vraiment, comme si nous faisions de la télépathie. Elle sait à quoi je pense, je devine ce qui lui passe par la tête. C'est comme de la magie ! Nous nous amusons tellement bien toutes les deux ! Alors, visiter une ferme au lieu d'aller chez Fred… Ça ne me disait rien.

— Tu vas voir, a assuré maman. Tu vas trouver ça extraordinaire ! C'est une ferme remplie de moutons, de chèvres, de poules… Il y a même des chevaux !

J'ai haussé les épaules.

— Ça pue, les animaux de ferme !

Papa a levé les yeux au ciel.

— Ça ne pue pas. Ça sent… Ça sent les animaux de ferme, tout simplement.

— Je ne veux pas y aller.

— On veut que tu viennes.

— Pourquoi vous n'y allez pas sans moi, si vous y tenez tant que ça ?

Là, papa est devenu rouge. En général, quand mon père change de couleur, ça annonce qu'il va monter le ton.

— Valérie Dubois, tu vas venir avec nous à la ferme ! a-t-il dit de sa voix de papa-pas-content.

— Mais…

— Et on ne discute pas !

Je me suis assise à table et j'ai bu le verre de jus d'orange que m'avait versé maman. Plus personne ne parlait, et papa tapait du pied sur le plancher, comme il fait toujours quand il est en colère. Sérieusement, j'avais envie de pleurer. Premièrement, je n'aime pas que mon père se fâche. Deuxièmement, je n'aime pas non plus qu'on m'empêche d'aller jouer avec ma meilleure amie. J'ai retenu mes larmes et j'ai grommelé, le visage à moitié caché derrière mon verre :

— Okay, okay. Je vais y aller, à la ferme.

Papa a retrouvé sa couleur de peau normale.

* * *

Une demi-heure plus tard, nous montions dans la voiture. Pour me faire plaisir, papa a mis un disque de Joe Dassin – mon chanteur préféré –, et nous avons chanté tout le long du trajet.

LA LA LA LA LA LA LA
LA LA

Chapitre 2

Un véritable coup de foudre

En arrivant à la ferme, je me suis rendu compte que j'avais bien raison. Ça puait, mais je n'ai rien dit. En fait, j'avais retrouvé ma bonne humeur après avoir chanté pendant près d'une heure. En plus, il faisait beau et nous avions un gros panier à pique-nique rempli de bons sandwichs au jambon. Je salivais juste à penser à notre dîner.

Une femme très gentille nous a fait visiter la ferme. Elle s'appelait Julie et n'était pas du tout comme je m'imaginais une fermière, toute sale, avec une salopette et de grosses bottes noires. Elle était plutôt jeune, souriante, et ressemblait un peu à ma voisine Virginie. Par contre, même si elle avait un beau sourire, elle n'arriverait jamais à me convaincre d'approcher les poules ou les chevaux. J'avais bien trop peur de recevoir un coup de bec ou de sabot ! Je l'ai suivie sans dire un mot. Maman, elle, posait plein de questions :

— Les poules pondent-elles des œufs tous les jours ? Utilisez-vous les chevaux pour labourer les champs ? Produisez-vous du lait de chèvre ?

Julie répondait patiemment à toutes les questions de maman. C'était quand même un peu intéressant, je l'avoue. Je ne savais pas que les poules pondaient un œuf chaque matin et qu'une chèvre pouvait à elle seule produire trois à cinq litres de lait par jour ! En plus, c'était bizarre : je ne sentais plus la forte odeur des animaux.

— Tu t'es habituée, m'a dit maman. C'est pour ça.

À ce moment-là, Julie nous a fait signe :

— Venez voir, a-t-elle dit doucement.

Nous nous sommes approchés d'elle.

— Regardez. C'est Lidia, notre brebis, qui vient de mettre au monde ses agneaux. Ils sont nés il y a deux semaines.

Je me suis mise sur la pointe des pieds pour regarder à l'intérieur de l'enclos que nous indiquait Julie.

Et là, quelque chose de complètement inattendu s'est produit.

Je suis tombée amoureuse !

Vous savez ? Le vrai de vrai coup de foudre, comme on en voit dans les films ? Quand on sent son cœur devenir tout mou ? Quand les larmes nous montent aux yeux, pas parce qu'on est triste, mais juste parce qu'on est vraiment ému ?

C’était exactement ça. Aussitôt le premier regard échangé avec Léo, j’ai eu envie de passer le reste de mes jours avec lui.

Mais ne vous inquiétez pas.

Léo n’était pas le fils de la fermière.

Non.

Léo était le plus joli des agneaux de Lidia. Il était trop mignon, avec ses grands yeux doux et son air tendre... J’ai tout de suite eu envie de le prendre dans mes bras, de le serrer contre moi. Il m’a fixée un bon moment, et il a lâché un petit bêlement qui semblait dire :

— Emmène-moi avec toi !

La fermière a vite compris qu'il se passait quelque chose de spécial entre nous deux.

— Eh bien ! D'habitude, Léo a peur de tout le monde ! On dirait qu'il t'a prise en affection, Valérie ! Tu veux le flatter ? m'a-t-elle demandé.

— Oh oui !

Elle a ouvert la porte de l'enclos et Léo s'est approché. J'ai tendu la main pour le caresser. Il était aussi doux qu'une couverture ! Aussi chaud qu'un bon chandail qu'on enfile en hiver ! J'avais envie de le serrer longtemps dans mes bras, envie de l'amener à la maison et de me blottir contre lui tous les soirs. J'ai continué à le caresser et il a mis sa petite tête sur mon épaule. Ça m'a tellement chatouillée que je n'ai pas pu m'empêcher de rigoler. Mes parents n'en revenaient pas.

— On dirait que tu commences à aimer la ferme, Valérie !

Ensuite, la journée a passé très vite – trop vite. Dès que je le pouvais, je retournais faire des câlins à mon petit Léo. Julie m'a laissé entrer dans l'enclos et m'a permis de lui donner un biberon de lait. Il s'est mis à téter avec sa petite langue toute rose, en faisant de drôles de bruits joyeux.

— Léo est le plus petit des agneaux. Ses frères et sœurs ne le laissent pas téter assez et nous devons lui donner des suppléments de lait.

À la fin, Léo me suivait partout. Je faisais un pas dans une direction, il m'imitait. Je m'assoyais dans la paille, il venait me rejoindre. Et il bêlait toujours, comme s'il voulait me confier un secret que je n'arrivais pas à déchiffrer. Julie m'a dit :

— Je crois qu'il te prend pour sa maman, maintenant !

C'était donc ça ! Eh bien, j'étais d'accord. Je voulais bien devenir sa maman de remplacement. J'étais même prête à le cacher dans le panier à pique-nique et à l'amener chez moi. Après tout, je savais bien comment m'occuper de lui, puisque j'avais appris à lui donner le biberon ! Mais Julie a ajouté :

— Tu sais, Valérie, Léo est très bien ici. C'est sa maison.

Avait-elle lu dans mes pensées ? J'ai baissé les yeux, me promettant de profiter d'un moment d'inattention de Julie et de mes parents pour kidnapper mon bébé.

Malheureusement, les adultes ne m'ont pas laissé le temps de mettre mon plan à exécution. Quand papa a finalement annoncé que c'était le temps de rentrer, j'ai senti une grosse boule se former dans ma gorge. J'ai jeté un dernier coup d'œil à Léo. Il dormait, collé contre ses frères et sœurs. Lidia la brebis dévorait sa moulée et ne semblait plus du tout s'intéresser à ses petits. Je me suis retenue de ne pas ouvrir l'enclos pour prendre Léo dans mes bras et m'enfuir avec lui.

— Allez, Valérie, viens ! On rentre ! a crié papa.

J'ai envoyé un bisou à Léo et j'ai murmuré :

— Je vais revenir te chercher, mon Léo ! Je te le promets !

Sur le chemin du retour, j'ai pris une grande décision : j'allais dire à mes parents que j'avais l'intention d'adopter Léo. Peut-être qu'ils pourraient m'aider !

— Adopter Léo ? s'est exclamé papa en hochant la tête.

Maman a rouspété :

— Voyons, ma belle ! On ne peut pas adopter un mouton ! Les moutons ne sont pas des animaux domestiques.

— Mais vous avez vu comme il était gentil avec moi ? Julie a même dit qu'il me prenait pour sa mère. Il serait très bien chez nous ! Je ferai un petit coin juste pour lui dans ma chambre. Allez, maman, papa, s'il vous plaît, dites oui !

— C'est impossible, Valérie.

— S'i-i-i-i-i-i-i-il vous plaî-aî-aî-aît ! Je ferai le ménage de ma chambre toutes les semaines ! Et quand l'école recommencera, je ferai mes devoirs tous les soirs !

Maman a soupiré et elle m'a regardée d'un air découragé.

— Valérie, les moutons sont des animaux de ferme, ils ne peuvent pas vivre dans un appartement.

Ce soir-là, je me suis endormie les larmes aux yeux. Je m'ennuyais tellement de mon Léo !

Cependant, je n'avais pas dit mon dernier mot.

Chapitre 3

La vie sans Léo

Durant les semaines qui ont suivi, je suis revenue régulièrement à la charge. Mes parents avaient dit non, d'accord, mais je réussirais bien à les faire changer d'avis, comme toujours. Je n'avais qu'à être plus tenace qu'eux. Et là, ce ne serait pas difficile. Mon père me dit toujours :

— Toi, Valérie, tu as une sacrée tête de mule.

Avoir une tête de mule signifie s'accrocher à ce qu'on veut. Je suis très bonne pour m'accrocher à ce que je veux. Et je voulais mon Léo. Chaque soir, au souper, j'ai pris l'habitude de répéter :

— Et Léo, on va bientôt le chercher ?

Au début, mes parents me répondaient patiemment qu'un animal de ferme n'était pas un animal de compagnie, et patati, et patata. Puis, après une semaine, ils se sont mis à m'ignorer dès que je posais ma question habituelle :

— Et Léo, on va bientôt le chercher ? ai-je continué de demander.

Mes parents se contentaient de hausser les épaules d'un air las, puis ils changeaient brusquement de sujet de conversation. Mais j'étais optimiste. Je me disais que s'ils ne savaient plus quel argument utiliser pour me faire changer d'idée, c'est qu'ils commençaient à faiblir.

Bientôt, ils diraient oui.

Mon amie Fred ne comprenait pas pourquoi je désirais tant avoir un si étrange animal de compagnie. Elle m'a tout de même prêté un de ses livres, dans lequel un petit garçon demande constamment à un monsieur de lui dessiner un mouton – ça s'appelait *Le Petit Prince*. Je l'aimais bien, cette histoire, et je me suis mise à la lire tous les soirs avant de me coucher. Quand l'école a recommencé, je la savais par cœur.

L'école…

Je n'aime pas beaucoup l'école, et surtout pas la rentrée. Les nouveaux professeurs, les nouveaux voisins de pupitre, tout ça m'intimide. Cette année, j'étais particulièrement triste de retourner à l'école. Non seulement cela signifiait qu'il n'y avait à peu près plus aucune chance que nous retournions à la ferme, mais en plus, Frédérique n'était pas dans ma classe. Nous n'allions plus nous voir qu'à la récréation et au dîner… J'étais vraiment déçue, même si Michelle, ma maîtresse de troisième année, semblait plutôt gentille. Dès le premier jour, elle a confié à toute la classe qu'elle aimait BEAUCOUP les animaux. Oubliant momentanément mon chagrin, je lui ai demandé :

— Même les animaux de ferme ?

— Bien sûr ! J'ai grandi à la campagne. Quand j'étais petite, il y avait une ferme tout près de chez moi.

— Avec des moutons ?

— Oui ! De jolis moutons tout blancs !

— Moi, j'adore les moutons !

Aussitôt après cet échange, je me suis sentie de bonne humeur. En plus, la maîtresse a demandé à tous les élèves de dessiner leur animal préféré sur un petit carton et de le coller sur le mur, près du tableau. Elle a expliqué :

— Durant toute l'année, vous allez faire des recherches sur l'animal que vous aurez choisi et vous le présenterez aux autres amis de la classe. L'été prochain, vous serez de vrais biologistes !

J'ai dessiné Léo sur mon carton, avec du poil frisotté partout et un grand sourire. Okay, vous allez me dire que les animaux ne sourient pas. JE SAIS. Mais j'avais envie de lui faire un sourire, moi, à mon Léo. J'étais très fière de mon dessin ! Je trouvais que l'année scolaire commençait bien, finalement.

Chapitre 4

Une nouvelle surprise

À la maison, par contre, les choses se sont gâtées. Quand je suis revenue chez moi, maman a lancé la fameuse phrase que je déteste :

— Valérie, on a une surprise pour toi !

J'ai aussitôt pensé :

— Ah non ! Virginie va venir me garder ce soir…

Mais ce n'était pas ça.

— Va voir dans ta chambre, a ajouté papa avec un grand sourire.

Méfiante, je me suis avancée vers ma chambre. Qu'est-ce que j'allais y découvrir ? Une nouvelle couverture de grande fille, celle que maman veut m'acheter depuis que ma vieille couette préférée est percée et laisse échapper des plumes ? Ou peut-être un rangement complet de ma chambre fait par une femme ou un homme de ménage maniaque de la propreté qui aurait jeté tous mes petits trésors ? Au secours !

Non, vraiment, je n'étais pas pressée de découvrir la *surprise* que me réservaient mes parents.

En entrant dans la chambre, je n'ai d'abord rien remarqué de spécial.

— Regarde bien ! a insisté papa.

J'ai avancé doucement, tentant de découvrir ce qui avait changé. Mon lit était toujours rempli d'ours en peluche, comme d'habitude. Ma bibliothèque débordait de livres et de petits jouets, comme d'habitude. Mon bureau…

Mon bureau n'était plus recouvert de dessins et de crayons, comme d'habitude.

À la place, il y avait une grande cage. Et c'est là, en m'approchant, que j'ai découvert ma *surprise*.

Elle faisait un drôle de bruit, avait du poil beige partout, de gros yeux noirs et de très longues dents.

Un hamster.

— Maman ! Papa ! Il y a un hamster dans ma chambre !

Je me suis retournée vers mes parents qui souriaient, tout joyeux.

— Surprise ! se sont-ils exclamés à l'unisson.

— Mais…

Je les ai dévisagés en hochant la tête, catastrophée.

— Qu'est-ce que je vais faire avec un *hamster* ? Un hamster, ça mord ! Ça pue ! Et ça fait des trous partout !

Le sourire de mes parents a immédiatement disparu.

— Voyons, Valérie ! a marmonné

mon père. Il est dans une cage, comment veux-tu qu'il fasse des trous partout ?

— Frédérique m'a dit que son cousin avait déjà eu un hamster, qu'il s'était échappé et qu'il avait troué le matelas de son lit avant de grignoter tous les fils électriques de la maison.

— Ton amie Frédérique exagère peut-être un peu, a noté maman.

— NON !

J'ai jeté un regard dédaigneux à la petite bête.

— Vous savez, un mouton, ça mange seulement du foin et…

— Valérie ! m'a interrompue ma mère. Arrête avec tes histoires de mouton !

Mes parents avaient maintenant l'air de très mauvaise humeur.

Le lendemain, il n'y avait plus de hamster dans ma chambre. Maman avait installé la cage dans le salon. Et c'était aussi bien ainsi parce que les hamsters font un boucan d'enfer pendant la nuit. Ils grattent le fond de leur cage, mâchent les barreaux de métal et tournent à toute vitesse dans leur petite roue de plastique, alors que le jour... ils dorment.

Entre vous et moi, un hamster, ça n'est pas intéressant du tout.

Chapitre 5

Le mouton de Michelle

Contrairement à mes parents, la maîtresse d'école aimait beaucoup les moutons. Un jour, à la récréation, elle nous a raconté une jolie histoire qui lui était arrivée quand elle était petite. À l'époque, elle vivait encore à la campagne. Un matin d'hiver, alors qu'elle allait jouer dehors, elle avait trouvé un agneau égaré. Il avait trouvé refuge sous la galerie de sa maison et grelottait de

froid. Michelle avait aussitôt alerté sa mère, et elles avaient transporté l'animal dans le salon, près du foyer où il avait fini par se réchauffer et arrêter de trembler. Elles l'avaient hébergé chez elles pendant quelques semaines.

— Ma mère a fait le tour des maisons avoisinantes, mais elle n'a pas retrouvé le propriétaire de l'animal. Alors, en attendant, je m'en suis occupé… Je lui ai fait un petit coin confortable dans le corridor, pas trop loin de ma chambre, avec de vieilles couvertures en laine, pour qu'il se sente chez lui.

Je l'ai écoutée raconter son histoire avec un pincement de jalousie au cœur. J'aurais tellement voulu qu'il s'agisse de mon histoire à *moi* !

— Et tu l'as gardé pour toute la vie ? a demandé Frédérique, aussi intriguée que moi.

— Non.

Ma maîtresse a soupiré.

— Finalement, au printemps, un fermier du village voisin a sonné à notre porte. Il avait eu une crevaison durant l'hiver, et pendant qu'il réparait son camion, il avait perdu une de ses bêtes, un peu trop curieuse…

— Ton mouton ?

— Eh oui ! *Mon* mouton.

— Et il l'a repris ?

— Oui…

J'étais tellement triste pour Michelle ! Elle a ajouté :

— De toute manière, nous n'aurions pas pu le garder.

— Pourquoi ?

Elle a haussé les épaules.

— Parce que les moutons ne sont pas faits pour vivre dans une maison.

J'avais plein d'autres questions à poser à Michelle. Je voulais qu'elle me raconte son histoire dans les moindres détails, mais la cloche a sonné à ce moment-là, et quand nous sommes rentrés en classe, c'était la période des mathématiques. J'ai soupiré. J'allais devoir garder mes questions pour moi. En plus, je n'aime pas beaucoup les mathématiques, sauf peut-être lorsqu'il s'agit de compter les moutons pour s'endormir…

Chapitre 6

Un ami qui fait ronron

Les jours ont passé, les feuilles ont rougi. L'automne est arrivé sans que je réussisse à convaincre mes parents de retourner voir Léo. Frédérique se moquait de moi. Elle était convaincue que j'allais passer l'Halloween déguisée en bergère.

En fait, j'ai plutôt préféré porter le costume de fée que m'avait fabriqué maman.

D'ailleurs, je ne voulais pas l'avouer, mais je commençais à penser de moins en moins à Léo. Parfois, au souper, j'oubliais même de poser ma question habituelle, tant j'étais occupée à expliquer à mes parents tout ce que Michelle nous avait enseigné en classe. Elle était une prof sensationnelle ! Chaque après-midi, avant le retour à la maison, elle nous racontait des histoires captivantes, qui mettaient toujours en vedette des animaux, tous plus futés les uns que les autres. Elle avait beaucoup d'imagination, ma maîtresse d'école ! Et elle avait lu des tonnes de livres !

À l'heure du coucher, par contre, une fois au lit, je pensais encore à Léo. J'avais envie de le serrer dans mes bras. À la place, je me contentais d'un ours en peluche, mais ce n'était pas du tout la même sensation.

* * *

Un soir, quelques semaines après l'Halloween, papa est revenu très tôt du travail. J'étais en train de faire mes devoirs quand il est arrivé. Sur le même ton enjoué que d'habitude, il a crié :

— Valérie ! J'ai une surprise pour toi !

Cette fois, je ne me suis pas fait prier : n'importe quel prétexte était bon pour interrompre les devoirs. Je me suis avancée vers lui.

— C'est quoi ?

La grosse boîte qu'il tenait dans ses bras s'est mise à émettre des plaintes.

Miaou ! Miaouououou !

— Un chat ! Papa, il y a un petit chat dans ta boîte !

Mon père, ravi de ma réaction, a dévoilé sa surprise en expliquant :

— La chatte d'un de mes collègues a eu des bébés.

Maman, qui s'était approchée de nous, a lâché un gros soupir :

— Tu aurais pu m'en parler avant !

Elle n'avait pas l'air de bonne humeur, mais papa s'est approché d'elle et lui a donné un vrai bisou d'amoureux. Et

Rrrrrrr
Rrrrrrrrr
Rrrrrrrrrr
Rrrrrr

alors, comme par enchantement, elle est devenue joyeuse. Moi, je me suis penchée vers le chaton tout noir qui restait vautré au fond de la boîte, craintif.

— Qu'il est mignon !

C'était une vraie belle surprise, ça !

Délicatement, j'ai pris la petite boule de poils dans mes bras, en faisant bien attention de ne pas la serrer trop fort. Elle s'est aussitôt mise à ronronner. On aurait dit un gros moteur de voiture qui démarrait.

— On peut l'appeler Ronron ?

Mes parents ont approuvé.

Ronron était très mignon, affectueux et joueur. Un peu trop captivé par la cage du hamster, mais c'est normal, c'était un *chat*. Et il fallait bien que quelqu'un s'y intéresse, à ce hamster. Sinon, à quoi bon le garder ?

Pendant deux mois, Ronron a joué à merveille le rôle de poupée, d'oreiller, de petit frère, d'ami, de presque-Léo. Aussitôt rentrée de l'école, je partais à sa recherche. Je passais mon temps à lui fabriquer des petits jouets, des souris en papier qu'il attrapait avec ses pattes et qu'il croquait aussi férocement que s'il était un lion. Il était tellement drôle ! Il me donnait même un excellent prétexte pour retarder mes devoirs, puisque dès que j'ouvrais mes cahiers, il se couchait dessus en ronronnant.

J'avais enfin un vrai animal de compagnie !

CHAPITRE 7

La visite chez le médecin

L'hiver était arrivé et j'étais toujours enrhumée. J'éternuais sans arrêt, je n'arrivais plus à respirer par le nez. Mes parents s'inquiétaient. D'habitude, j'ai une santé de fer et je résiste à tous les méchants microbes, mais là, c'était comme si toutes mes défenses naturelles avaient décidé de faire la grève.

Quand je me sentais vraiment mal, je caressais mon petit chat et il se mettait à ronronner. Il me réconfortait chaque fois.

Un jour, en m'entendant tousser une fois de plus, maman a décidé de m'amener voir un médecin :

— Ça ne peut pas durer, Valérie ! Il faut trouver ce qui ne va pas.

Nous avons vu un médecin, puis un autre, et encore un autre. Nous avons fait des tests, des prises de sang, et au bout d'une dizaine de jours, le diagnostic a été posé.

— Valérie, tu es allergique aux chats, m'a dit le médecin d'un ton grave.

J'ai eu l'impression que quelqu'un

DOCTEUR
MIRLITON
ALLERGIE
CHATS
VALERIE

venait de me pousser en bas d'un gratte-ciel. J'avais le souffle coupé, comme s'il n'y avait plus assez d'air dans le bureau du médecin. Je me sentais mal !

J'étais allergique aux chats ? *Moi* ? Non ! C'était impossible !

Je me suis mise à pleurer. Je ne voulais pas me séparer de Ronron ! Mon Ronron chéri ! Je l'aimais trop !

Maman a posé sa main sur ma tête et m'a caressé doucement les cheveux.

— On va trouver une autre maison pour Ronron, où il sera très heureux, a-t-elle murmuré.

Une autre maison pour Ronron ? Et moi ? Qu'est-ce que j'allais devenir sans mon Ronron ? Où allais-je pouvoir être heureuse, sans lui ?

Je ne voulais même pas y penser !

* * *

Finalement, ma voisine Virginie a accepté d'adopter Ronron, ce qui m'a un peu soulagée. Je pouvais aller le voir de temps en temps et lui faire une caresse à condition de bien me laver les mains après. Et c'est vrai que j'allais beaucoup mieux maintenant que je ne dormais plus avec le chaton. Par contre, soudainement, j'ai recommencé à penser beaucoup à Léo. Le soir, en cherchant un sommeil qui ne venait pas, je faisais des plans pour le retrouver.

J'étais peut-être allergique aux chats, mais certainement pas aux moutons !

Mes parents, eux, étaient apparemment devenus allergiques au mot *Léo*. Dès que je le prononçais, papa s'énervait :

— Valérie, combien de fois doit-on te répéter qu'on ne peut pas avoir de mouton ici ?

Maman s'impatientait :

— Bon, si tu faisais tes devoirs au lieu de penser à ce mouton ?

Même Frédérique avait fini par se lasser de mon histoire.

— Valérie, arrête de toujours répéter la même chose ! me disait-elle.

Puis, elle allait jouer avec Anaïs, une fille qui était dans sa classe et avec qui elle s'entendait un peu trop bien à mon goût.

Je me sentais seule.

Et quand je me sentais seule, je rêvais à Léo, mon petit agneau tout doux.

Chapitre 8

Je ne mangerai plus jamais de viande !

Je me sentais si seule que j'en avais perdu l'appétit.

Maman s'inquiétait.

— Allons, Valérie, prends encore un peu de jambon. Voyons, tu adores le jambon !

Je rouspétais.

— Je n'ai plus faim.

Puis, j'allais lire dans ma chambre. Ces derniers temps, je trouvais la vie plus intéressante dans les livres. Là, tout était possible. Chaque semaine, j'empruntais des livres à Michelle. Les héros de mes aventures préférées pouvaient parler aux animaux, quand ce n'était pas les animaux eux-mêmes qui étaient les personnages principaux des histoires, des animaux parfois habillés comme des humains, qui marchaient sur leurs pattes arrière avec autant d'habileté que nous. Comme j'aurais voulu qu'ils existent réellement ! Avec eux, j'aurais oublié la neige et le froid. J'aurais oublié qu'il n'y avait plus de Ronron dans mon lit la nuit pour me réchauffer, oublié que Léo vivait à près de deux heures de route de chez moi. J'aurais oublié que mon amie Frédérique ne me téléphonait plus tous les jours, comme avant…

* * *

Un samedi, maman m'a dit :

— Valérie, viens, je t'amène faire l'épicerie ! m'a dit maman un samedi.

J'ai rouspété :

— Mais je n'ai pas encore fini mon livre !

Ma mère a paru surprise. D'habitude, j'adore faire les courses avec elle et je saute de joie dès qu'elle me propose de l'accompagner. Il faut dire qu'elle sait comment m'attirer : avant de quitter le magasin, elle me donne toujours la permission de choisir un petit cadeau :

— On fait toutes les allées et après, tu pourras choisir quelque chose pour toi, me dit-elle.

Souvent, je prends des biscuits au chocolat. Miam !

Ce jour-là, cependant, j'ai suivi maman à contrecœur. Je n'avais pas envie de me promener dans une épicerie bondée de monde. En plus, le samedi, maman rencontre toujours des tas de gens qu'elle connaît et avec qui elle fait la conversation pendant des heures et des heures, alors que j'attends patiemment de partir. C'est parfois trèèèèèès long !

— Pense à tes biscuits ! m'a-t-elle dit pour me donner de l'entrain.

J'ai pensé à mes biscuits et je l'ai suivie.

Dans l'allée de la boucherie, le coin de l'épicerie que j'aime le moins, j'ai regretté ma décision. Il y faisait très froid et ça me dégoûtait, cette viande toute rouge et saignante. Maman a choisi un gros gigot et l'a déposé dans notre chariot d'épicerie.

J'ai failli m'évanouir en découvrant qu'elle s'apprêtait à acheter... de l'agneau !

— Maman, tu es trop cruelle ! ai-je hurlé.

Ma mère a fait de grands yeux surpris.

— Mais voyons, Valérie ! Tu...

— Je ne veux pas manger les amis de Léo !

Maman a hoché la tête et, sans un mot, elle a fini par remettre la viande dans le réfrigérateur.

— Quand je pense que les gens mangent de l'agneau ! C'est horrible ! me suis-je écriée une fois que nous avions quitté le coin boucherie.

— Tu sais, ma belle, c'est un animal que les humains mangent depuis des milliers d'années.

J'ai croisé les bras.

— Moi, je ne veux plus manger de viande.

Maman a levé les yeux au ciel.

— Bon, voilà une autre Virginie ! Toi qui aimes tant le jambon et le poulet, de quoi vas-tu te nourrir, maintenant ?

— Je vais manger des légumes et des noix.

— Alors, en plus d'avoir un appétit d'oiseau, tu vas manger de la nourriture d'oiseau… Tu m'avertiras quand tu sentiras des ailes te pousser dans le dos !

Chapitre 9

L'animalerie

Deux jours plus tard, maman avait une nouvelle surprise pour moi. Elle avait acheté une perruche, toute bleue, avec quelques plumes noires.

— Comme ça, vous serez deux oiseaux à vivre ici ! a-t-elle rigolé.

Elle l'a installée dans ma chambre, près de la fenêtre.

Mais un oiseau, ça ne se caresse pas. Et une perruche, ça a un bec très puissant.

Après avoir été pincée jusqu'au sang, j'ai décidé de ne plus m'approcher de l'oiseau, qui passait son temps à lâcher de grands cris mécontents, comme s'il m'en voulait. J'ai fini par demander à mes parents de l'apporter dans le salon.

Lui et moi, nous n'étions pas faits pour nous entendre.

* * *

Un autre jour, papa m'a donné une petite tortue. J'ai joué un peu avec elle, mais Frédérique m'a appris que les tortues trimballaient toutes sortes de bactéries sur leur carapace, et que je devais me frotter les mains avec du savon chaque fois que je la prenais si je ne voulais pas risquer d'attraper une maladie dangereuse.

— Fred exagère toujours ! a soupiré papa.

Peut-être. Par contre, une chose était indiscutable : une tortue, c'est froid, c'est dur et c'est silencieux. Comme animal de compagnie, on a déjà vu mieux.

Bientôt, dans le salon, à côté de la télévision, il y avait désormais un hamster, une perruche et une tortue.

— Une vraie animalerie ! soupirait maman.

— Je veux voir mon Léo ! lui répondais-je.

— Valérie, change de disque ! grognait papa.

Chapitre 10

À la recherche de Léo

— Valérie, j'ai une surprise pour toi ! a annoncé papa un matin ensoleillé du mois de mai.

J'étais plongée dans la lecture du *Petit Prince* et j'ai à peine levé les yeux. Papa s'est planté devant moi. Il a répété :

— Valérie, j'ai une surprise pour toi !

J'ai soupiré.

— Okay, okay. C'est quoi, ta surprise ?

— Si tu veux bien arrêter de lire, on t'amène à la ferme !

J'ai aussitôt abandonné ma lecture.

— Hein ? À la ferme ? À LA FERME DE LÉO ?

Papa et maman étaient debout devant moi :

— Allez, dépêche-toi ! On pourra même pique-niquer ce midi.

— Youpi !

* * *

Juste au moment où nous allions partir, le téléphone a sonné. C'était Frédérique, qui m'invitait à venir jouer chez elle.

— Désolée, Fred, mais je vais voir Léo !

— Tu vas à la ferme ! Chanceuse ! Tu m'appelles dès que tu reviendras ?

— Promis !

— Ne m'oublie pas, hein ?

Quand j'ai raccroché, je me suis rendu compte que Frédérique avait autant besoin de mon amitié que j'avais besoin de la sienne. Finalement, c'est peut-être moi qui l'avais mise de côté, ces derniers mois. Je me suis promis de remédier à la situation dès mon retour de la ferme.

Frédérique était et resterait toujours ma meilleure amie.

* * *

La route m'a paru très longue, comme si nous n'allions jamais arriver. Après ces longs mois, j'étais impatiente de revoir Léo ! Allait-il me reconnaître ? J'espérais pouvoir lui donner le biberon à nouveau et caresser son poil soyeux.

Dès que maman a arrêté le moteur, je me suis précipitée à l'extérieur de la voiture.

— Où vas-tu ? a demandé papa alors que je courais vers la ferme.

Je n'ai pas pris la peine de lui répondre. Il savait où j'allais, évidemment ! J'ai continué à courir, un peu perdue tout de même. La ferme n'était pas exactement comme dans mon souvenir. Elle m'a paru à la fois plus grande et plus déglinguée.

Rapidement, je me suis rendu compte que je ne savais plus où se trouvait l'enclos des agneaux. J'ai tout de même continué de courir à droite, à gauche en regardant partout. J'ai croisé l'enclos des poules, l'écurie des cheveux, j'ai vu les vaches qui broutaient dans le champ, mais il n'y avait aucune trace des agneaux. Après un moment, je me suis retrouvée face à une clôture métallique derrière laquelle une grosse bête mâchait de l'herbe. Elle avait de grandes cornes biscornues, son long poil frisotté était d'un gris très, très sale, et elle m'observait de ses yeux noirs.

— C'est un gros bélier, hein ? a fait remarquer une voix derrière moi.

Je me suis retournée. Julie, la fermière, était venue me rejoindre.

— Je cherche Léo ! ai-je dit en me retenant pour ne pas crier.

J'avais soudain un mauvais pressentiment. Les paroles de Julie ont accentué mon malaise.

— Mais tu l'as vu, ton Léo !

— Non ! J'ai fait le tour de tous les enclos, mais je ne l'ai pas trouvé !

— Il est pourtant tout près de toi.

J'ai regardé attentivement autour de moi. Le gros bélier s'était éloigné, il était allé rejoindre un troupeau de moutons tout aussi grands et sales que lui. J'ai haussé les épaules.

— Il n'y a que ces affreux moutons ! Je ne vois pas Léo !

Elle s'est mise à rire.

— Il a un peu changé, depuis la dernière fois ! Il aurait besoin d'un coiffeur.

— Je ne comprends pas…

— Léo est devant toi.

J'ai froncé les sourcils. Julie a continué :

— Les mâles deviennent adultes au bout de six mois. Léo est maintenant un bélier !

— Un… bélier ?

— Eh oui ! Il sera même papa dans quelques semaines !

— *Papa* ?

Je n'en revenais pas ! Je me suis approchée de la clôture et j'ai observé la grosse

crunch
crunch
crunch

boule de laine malpropre qui mâchouillait de l'herbe d'un air indifférent. Ça ne pouvait pas être Léo ! Imaginez ! *Mon* Léo !

— Il était tout petit, mais il est finalement devenu notre bélier le plus vigoureux. Il faut dire qu'il a eu la chance d'être nourri au biberon ! Tu te rappelles ?

Bien sûr que je m'en rappelais ! Je m'en souvenais tellement bien que j'avais envie de pleurer, maintenant ! J'avais l'impression qu'on venait de me voler mon petit agneau chéri ! Mes parents sont arrivés pendant que je luttais pour retenir mes larmes.

— Tu comprends pourquoi on ne pouvait pas garder Léo à la maison, Valérie ?

Maman avait posé sa main sur mon épaule. Je me suis dégagée en criant :

— Non ! Je ne comprends rien !

Je me suis mise à courir sans me retourner. Je voulais partir le plus loin possible de ces affreux animaux. Je voulais retrouver le petit mouton tout chaud qui avait fait fondre mon cœur ! Il ne pouvait pas avoir été remplacé par cet horrible bélier au poil emmêlé ! Non, je ne pouvais pas y croire ! Je me suis assise dans un coin de la ferme, sur une botte de foin, et j'ai commencé à pleurer. J'avais l'impression qu'on venait de me raconter un gros mensonge et que j'avais malgré tout appris la vérité. Mais personne ne m'avait raconté de mensonge !

Un mouton n'est pas un animal domestique, disaient papa et maman. Et j'avais appris à l'école qu'une fois adulte, un agneau devient un bélier ou une brebis. Mais mon Léo ? Je n'aurais jamais cru qu'il allait grandir si vite ! Sur le coup, j'aurais préféré qu'il soit mort plutôt que transformé en bélier.

J'étais en train de me faire ces réflexions quand j'ai entendu un drôle de bruit, tout près de moi. J'ai relevé la tête. Deux petits yeux aussi ronds que des billes me fixaient. Ces deux yeux noirs étaient précédés d'un énorme nez rose et entourés de jolies oreilles tombantes, toutes roses elles aussi.

— Oh ! Un bébé cochon, ai-je murmuré.

Le porcelet a refait son couinement, et je me suis mise à rire. Il était vraiment trop comique ! Sa petite queue en tire-bouchon s'agitait dans tous les sens tandis qu'il creusait dans la terre, comme s'il tentait de se frayer un chemin sous la clôture pour venir me rejoindre. J'ai essuyé mes larmes, puis j'ai tendu la main vers l'animal qui l'a reniflée avec son gros museau tout humide.

Quelques minutes plus tard, quand mes parents sont arrivés, j'étais en train de rigoler avec mon nouvel ami.

— Valérie ! s'est exclamée maman. On t'a cherchée partout !

Je me suis retournée vers mes parents et, en faisant mon plus beau sourire, j'ai dit :

— Maman, papa, je ne veux plus de mouton.

Ils ont soupiré de soulagement. Je sentais qu'un lourd poids venait de s'enlever de leurs épaules. J'ai élargi mon sourire et j'ai dit d'une voix très calme et très décidée :

— Maintenant, je veux... un cochon !